Groupe d'édition la courte échelle inc.
Division la courte échelle
4388, rue Saint-Denis, bureau 315
Montréal (Québec) H2J 2L1
www.courteechelle.com

Révision: Céline Bouchard

Dépôt légal, 2e trimestre 2011
Bibliothèque nationale du Québec

Édition originale: *Adopt a Glurb!* publié chez Blue Apple Books

Le Groupe d'édition la courte échelle reconnaît l'aide financière du gouvernement du Canada pour ses activités d'édition. Le Groupe d'édition la courte échelle est aussi inscrit au programme de subvention globale du Conseil des arts du Canada et reçoit l'appui du gouvernement du Québec par l'intermédiaire de la SODEC.

Le Groupe d'édition la courte échelle bénéficie également du Programme de crédit d'impôt pour l'édition de livres — Gestion SODEC — du gouvernement du Québec.

Financé par le gouvernement du Canada | Canadä

Catalogage avant publication de Bibliothèque et Archives nationales du Québec et Bibliothèque et Archives Canada

Gravel, Elise

Adopte un glurb!

Bandes dessinées.
Traduction de: Adopt a Glurb!
Pour enfants de 6 ans et plus.

ISBN 978-2-89651-972-9

I. Titre.

PN6734.A36G7214 2011   j741.5'971 C2011-940160-6

Imprimé en Malaisie

Adopte un GLURB!

par Elise Gravel

la courte échelle

VOICI LE GLURB

Le glurb est un gentil petit monstre que tu peux garder à la maison tout comme un chien ou un chat.

LE **glurb** EST TRÈS AMUSANT.

Si tu ne prends pas bien soin
de lui, tu risques d'avoir des
problèmes. Quelle petite **peste!**

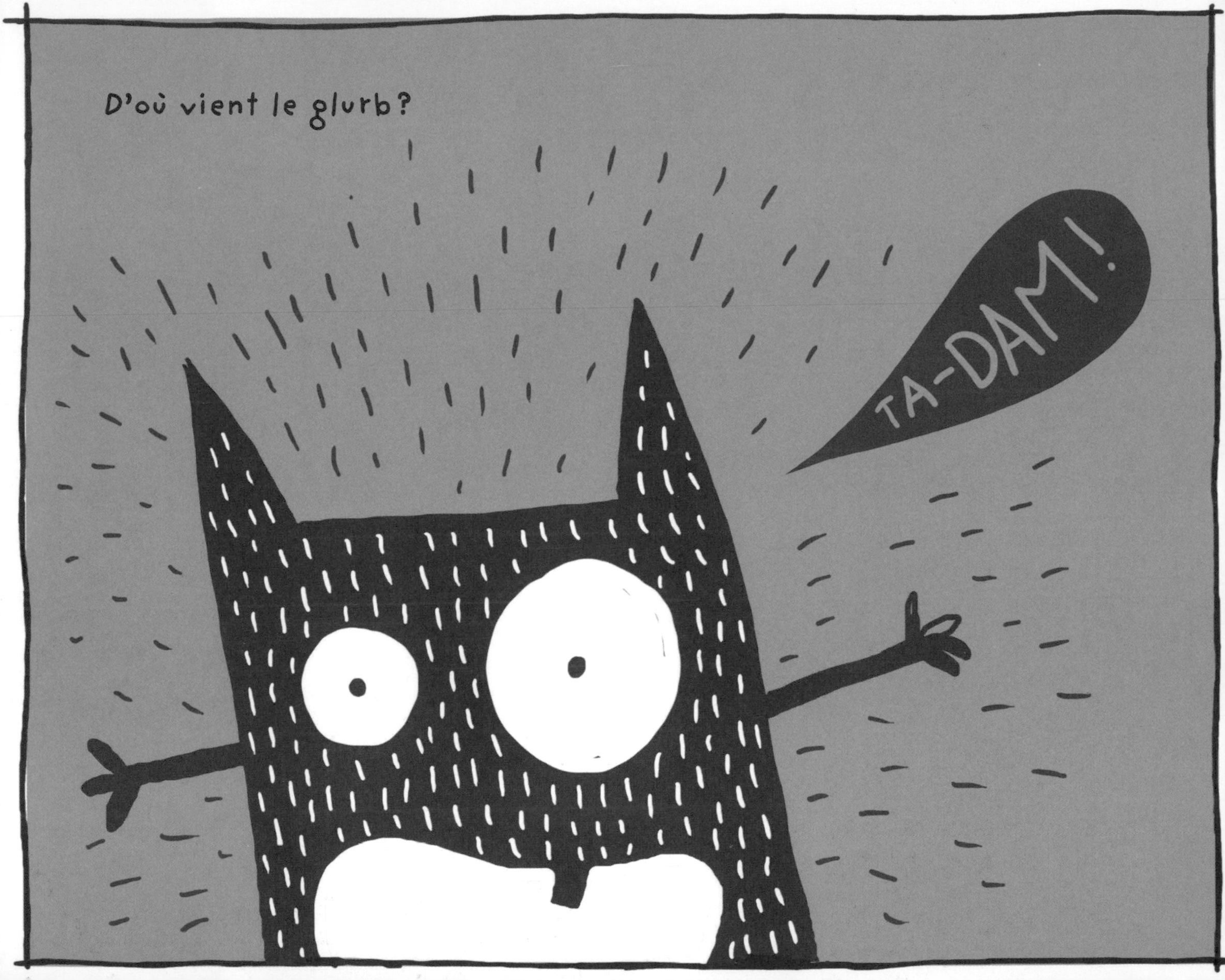
D'où vient le glurb?
TA-DAM!

Le bébé glurb naît d'un oeuf.

Les oeufs de glurbs sont poilus et puants.

À la naissance, le petit glurb est rouge. Il devient noir en grandissant.

MAMAN?

Tu peux acheter un oeuf de glurb dans toutes les bonnes monstreries pour 10¢.

10¢

Parfois, tu peux trouver des oeufs de glurbs sous des pierres dans la forêt.

L'anatomie du glurb est simple:

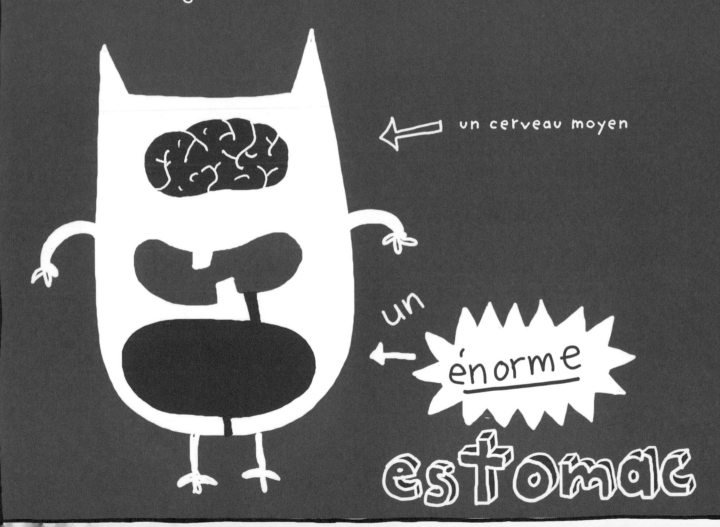

un cerveau moyen

un

énorme

estomac

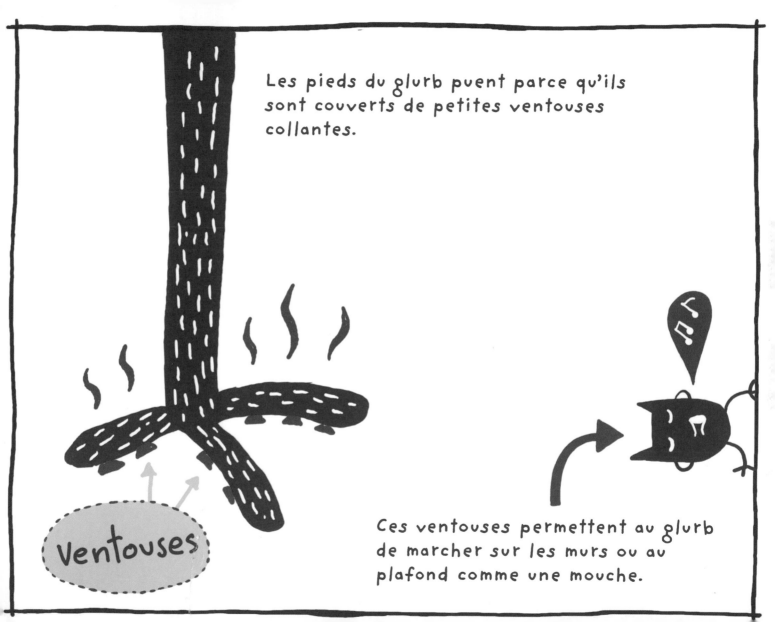

Les pieds du glurb puent parce qu'ils sont couverts de petites ventouses collantes.

Ventouses

Ces ventouses permettent au glurb de marcher sur les murs ou au plafond comme une mouche.

Le glurb adore les sports, mais quand tu joues avec lui, vas-y en douceur. Le glurb est beaucoup plus petit qu'il ne le croit!

Malgré ses bras et ses jambes minuscules, le glurb est très fort!

Il peut soulever un crayon, et même dessiner avec.

Voici un dessin réalisé par un glurb de quatre ans.

Les glurbs peuvent crier très, très fort.

Quand un glurb se sent menacé, il peut même mordre. Sa morsure fait mal, mais elle n'est pas veni-meuse.

Il peut aussi courir trèèèèèèèèèèèèèèèèès vite.

Le glurb est le roi du cache-cache,
spécialement après avoir fait un coup pendable.

Prendre soin de ton glurb

Sois très doux avec ton glurb.

Les bébés glurbs ont besoin de beaucoup d'amour et de câlins. Comme ils sentent plutôt mauvais, tu devras t'habituer à leur odeur pour arriver à leur donner des bisous.

Ils sentent le fromage pourri !

Les glurbs ont peur des bruits forts.

Ils détestent qu'on crie après eux.

Si tu cries après ton glurb, il te jouera des tours,

comme attacher tes lacets de chaussures ensemble...

ou t'arracher les poils des sourcils pendant ton sommeil.

tic!

C'est facile de voir quand un glurb ne reçoit pas assez de câlins:

1 Il pleurniche.

WAAAAAAA

2 Hé Hé!

Il fait des folies et des trucs très embêtants...

3 Ou il se cache pendant plusieurs jours.

SUCRE

Les bébés glurbs ne devraient **JAMAIS** être laissés seuls à la maison, car ils s'ennuient et ils ont peur.

Certains professeurs permettent d'emmener les glurbs à l'école.

Parfois, des glurbs peuvent même apprendre à lire et à compter!

Les bébés glurbs peuvent avoir de petits accidents.

Tu peux régler ce problème en achetant des couches pour glurbs à la pharmacie.

Pour un glurb bien propre...

Lave-le tous les jours dans du vinaigre et du jus de canneberge.

Les glurbs adorent les bains.

Les glurbs n'ont que deux dents, mais il faut tout de même les brosser.

Les glurbs DÉTESTENT se faire brosser les dents.

Même quand ils sont propres, les glurbs puent.

C'est normal.

Les glurbs mangent **beaucoup** !

Ils adorent préparer leurs propres sandwichs.

Ils dévorent même de vieilles chaussettes sales.

Ils aiment aussi grignoter les crayons, les peaux de bananes et le dentifrice.

Un glurb peut manger jusqu'à 10 fois son propre poids chaque jour. Assure-toi que ton frigo est bien rempli de ses aliments favoris.

1 Les choses gluantes

Les glurbs raffolent de tout ce qui est gluant: la pâte à modeler mouillée, les bananes écrasées, le Jell-O fondu.

2 La musique

Ils adorent la musique, en particulier le jazz. Ils sont aussi de très bons danseurs.

Doub-doub-bi-bop!

3 L'élevage de limaces

Les glurbs aiment jouer avec les limaces, et les limaces aiment jouer avec les glurbs.

Assis!

Si tu donnes à ton glurb
un avion de papier,
il aura du plaisir à voler
partout dans la maison.

Si tu as plus d'un glurb à la maison...

Ils risquent de se chamailler un peu au début.

Mais après un jour ou deux, ils deviendront de bons amis.

Si tu as un mâle et une femelle, tu pourrais même te retrouver avec des bébés glurbs!

Les glurbs aiment se raconter des blagues, mais personne d'autre qu'eux ne les comprend.

Donne à tes glurbs un pois chiche, et ils joueront au soccer.

Quatre glurbs peuvent faire ton lit.

Si tu possèdes plus de 5 glurbs, fais-les chanter dans une chorale.
Tu verras, c'est magique !
BLOGBAGOOO PLIKTI KUKACHOO

Bien sûr, si tu as plus d'un glurb, il te faudra...

plus de nourriture et

faire le ménage plus souvent.

Il se peut que tes parents n'apprécient pas la présence de plusieurs glurbs.
Hi Hi Hi !
Hi Hi Hi !

Parfois, il te faudra faire un peu de discipline.

Allez réfléchir !

Tu peux demander à ton professeur de t'enseigner quelques trucs pour aider tes glurbs à se tenir tranquilles.

MAIS UNE CHOSE EST SÛRE:

plus tu auras de glurbs...